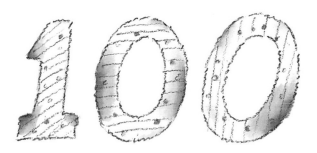

100
focal tosaigh
do do bhabaí

Edwina Riddell

AN GÚM
Baile Átha Cliath

Mamó

Mamaí

babaí

Daidí

buachaill

cailín

Daideo

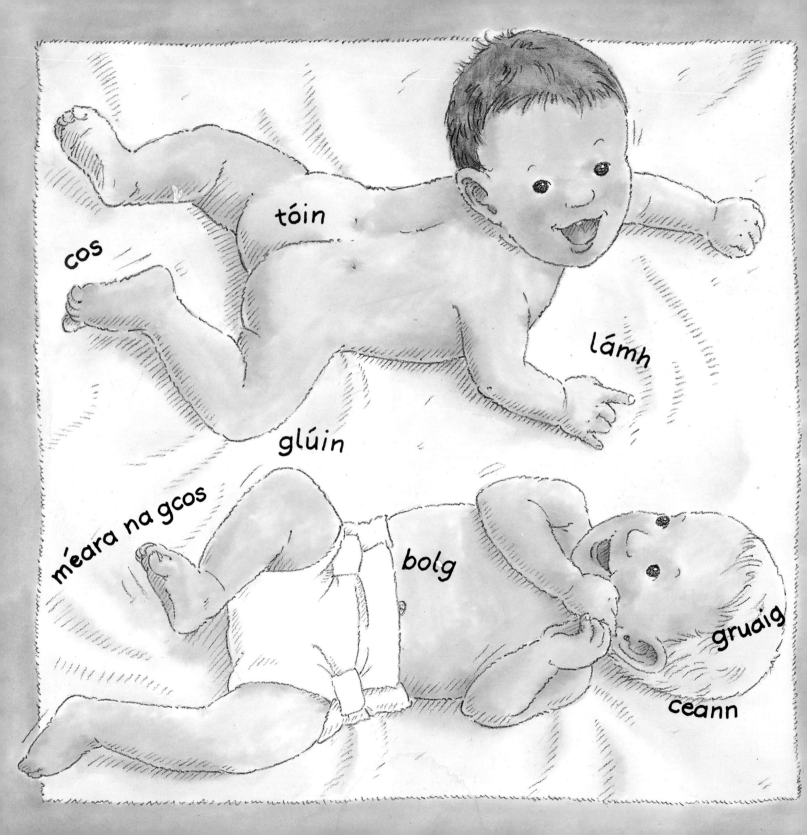

béal

súile

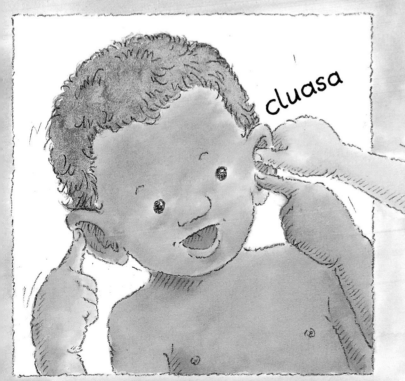

cluasa

srón

seaicéad

dungairí

lámhainní

buataisí

bróga

slipéir

geansaí

brístín

hata

veist

stocaí

naipcín

gúna

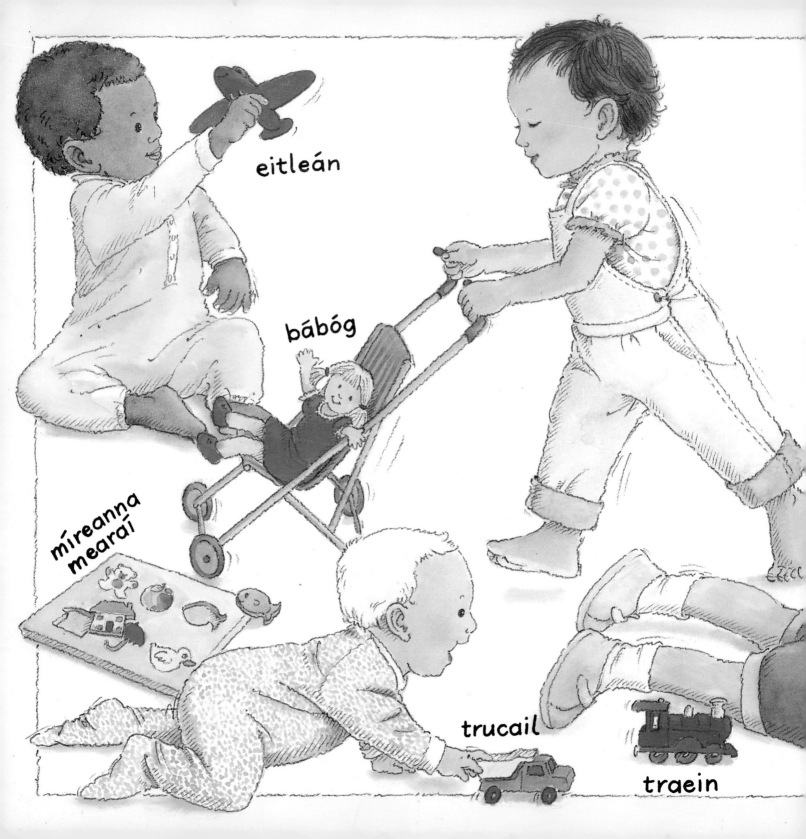

eitleán

bábóg

míreanna mearaí

trucail

traein

brící

trírothach

crián

páipéar

fón

uisce

liathróid

bád

culaith shnámha

crios snámha

iasc

hata gréine

gaineamh

bratach

buicéad

spád

sliogáin

carr

fuinneog

suíochán linbh

doras

roth

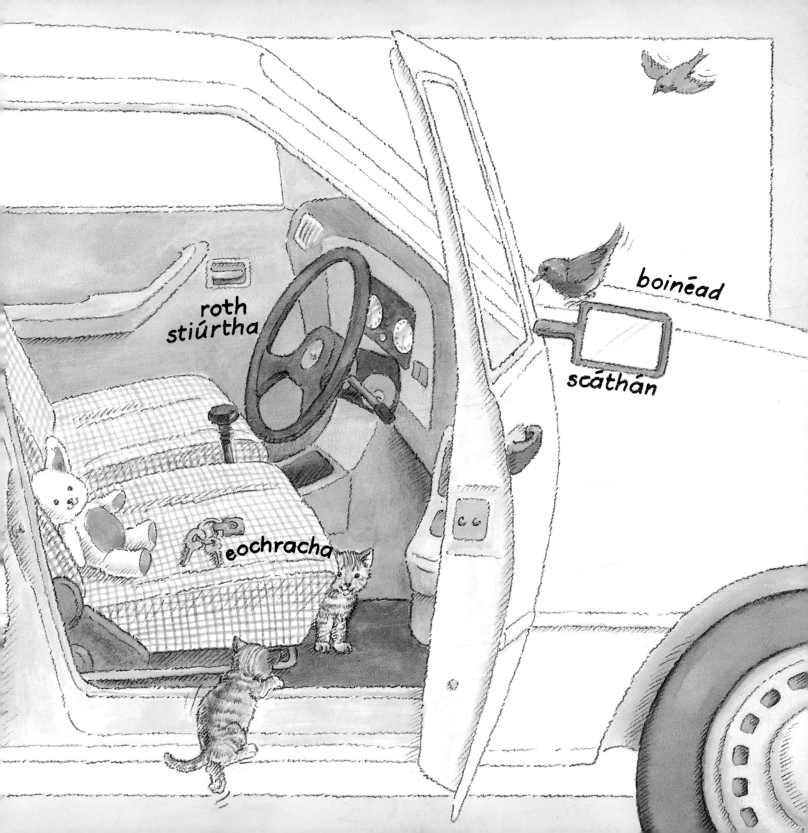

boinéad

roth stiúrtha

scáthán

eochracha

seilfeanna

arán

tralaí

buidéal

scipéad

paicéad

stáin

uibheacha

bosca

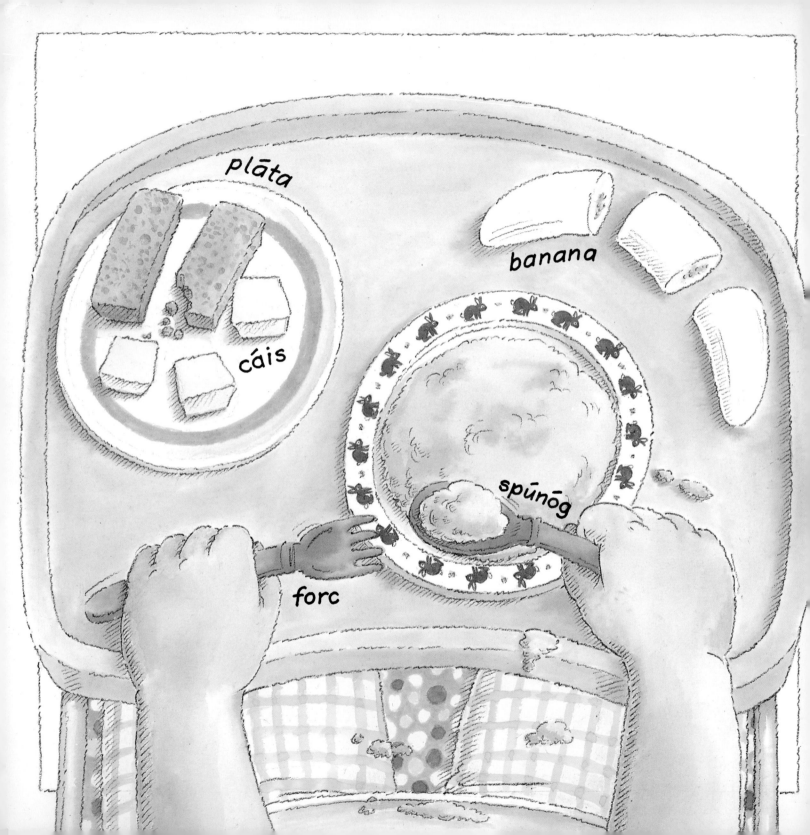

pláta

cáis

banana

spúnóg

forc

cathaoir ard

bibe

buidéal

babhla

muga

éan

luascán

féileacán

bugaí

duilleoga

lacha

bláthanna

iora rua

féar

madra

puisín

budragáir

éisc

cat

coiníní

bolgáin

cithfholcadh

sconnaí

folcadán

seampú

taos fiacla

scuab fiacla

flainín

scuab

gallúnach

spúinse

tuáille

móibíl

solas

cliabhán

teidí

leabhar

clog

pitseámaí

blaincéad

piliúr

duvet

leaba